L'étonnant fou rire de
M. ÉTONNANT

MONSIEUR MADAME

MONSIEUR MADAME

Publié pour la première fois par Egmont sous le titre *Mr. Silly Gets the Giggles*.
 Traduction : Anne Marchand-Kalicky.
Maquette : Anna Guillet.

L'étonnant fou rire de
M. ÉTONNANT

Roger Hargreaves

hachette
JEUNESSE

Monsieur Étonnant vivait en Bizarrance, là où l'herbe est bleue et où les arbres sont rouges.

Tu connais ce pays, n'est-ce pas ?

C'est là aussi que les passages piétons sont à pois...

Mais peut-être le sais-tu déjà !

En Bizarrance, les gens postent leurs lettres dans des cabines téléphoniques et téléphonent dans des boîtes aux lettres.

En Bizarrance, les parapluies ont des trous pour
que l'on sache quand la pluie s'est arrêtée.
Ça paraît totalement absurde… sauf quand
on s'appelle monsieur Étonnant.

Ce matin-là, monsieur Étonnant se leva, mit son chapeau, se brossa les dents avec du savon… comme d'habitude, cira ses chaussures avec du dentifrice… comme d'habitude et descendit prendre son petit déjeuner.

Monsieur Étonnant mangea des œufs au plat avec
de la crème anglaise… comme d'habitude,
et une tasse de confiture au lait chaud…
comme d'habitude.

Après le petit déjeuner, monsieur Étonnant sortit dans son jardin car, la veille, il avait acheté un arbre. Quand il le regarda, il réalisa qu'il manquait un trou pour le planter.

Alors, il se rendit dans la quincaillerie la plus proche.

– Bonjour, dit monsieur Étonnant.

Je voudrais acheter un trou.

– Je suis désolé, répondit le vendeur. Le stock est épuisé.

Nous avons vendu le dernier, hier.

– Dommage ! gémit monsieur Étonnant.

CLOUS
TROUS
BOUL

Il se mit alors en quête d'un trou.

Il marcha, marcha et marcha longtemps.

Finalement, monsieur Étonnant s'arrêta et observa le sol.
– C'est étrange, cette herbe est verte, dit-il à voix haute.
– Bien sûr, répondit une voix derrière lui.
L'herbe est toujours verte.

– Qui êtes-vous ? demanda monsieur Étonnant.

– Madame Sage.

– Je suis monsieur Étonnant. Pouvez-vous me dire où je suis ?

– Vous êtes en Normalie, répondit madame Sage.

Monsieur Étonnant avait marché si longtemps qu'il était parvenu jusqu'en Normalie.

– Je cherche une quincaillerie, expliqua-t-il.
Pouvez-vous m'aider ?
– Bien sûr ! dit madame Sage. Suivez-moi.
Alors qu'ils marchaient, monsieur Étonnant regarda autour de lui.
Il n'avait jamais vu d'endroit pareil : l'herbe était verte, les arbres étaient verts aussi et même les haies étaient vertes.
Ils arrivèrent bientôt en ville.

Édité par Hachette Livre – 43, quai de grenelle, 75905 Paris Cedex 15
ISBN : 978-2-01-2200-845
Dépôt légal : avril 2013
Loi n°49-956 du 16 juillet 1949 sur les publications destinées la jeunesse.
Imprimé par IME (Baume-les-Dames), en France.

DES **MONSIEUR MADAME**

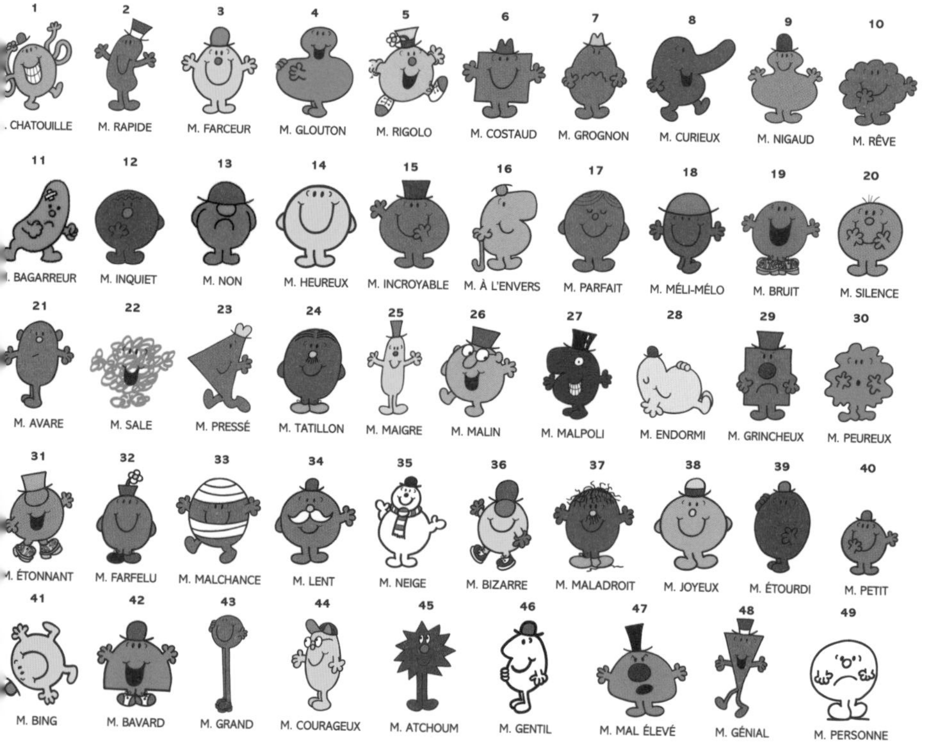

1 CHATOUILLE
2 M. RAPIDE
3 M. FARCEUR
4 M. GLOUTON
5 M. RIGOLO
6 M. COSTAUD
7 M. GROGNON
8 M. CURIEUX
9 M. NIGAUD
10 M. RÊVE
11 BAGARREUR
12 M. INQUIET
13 M. NON
14 M. HEUREUX
15 M. INCROYABLE
16 M. À L'ENVERS
17 M. PARFAIT
18 M. MÉLI-MÉLO
19 M. BRUIT
20 M. SILENCE
21 M. AVARE
22 M. SALE
23 M. PRESSÉ
24 M. TATILLON
25 M. MAIGRE
26 M. MALIN
27 M. MALPOLI
28 M. ENDORMI
29 M. GRINCHEUX
30 M. PEUREUX
31 ÉTONNANT
32 M. FARFELU
33 M. MALCHANCE
34 M. LENT
35 M. NEIGE
36 M. BIZARRE
37 M. MALADROIT
38 M. JOYEUX
39 M. ÉTOURDI
40 M. PETIT
41 M. BING
42 M. BAVARD
43 M. GRAND
44 M. COURAGEUX
45 M. ATCHOUM
46 M. GENTIL
47 M. MAL ÉLEVÉ
48 M. GÉNIAL
49 M. PERSONNE

RÉUNIS VITE LA COLLECTION ENTIÈRE

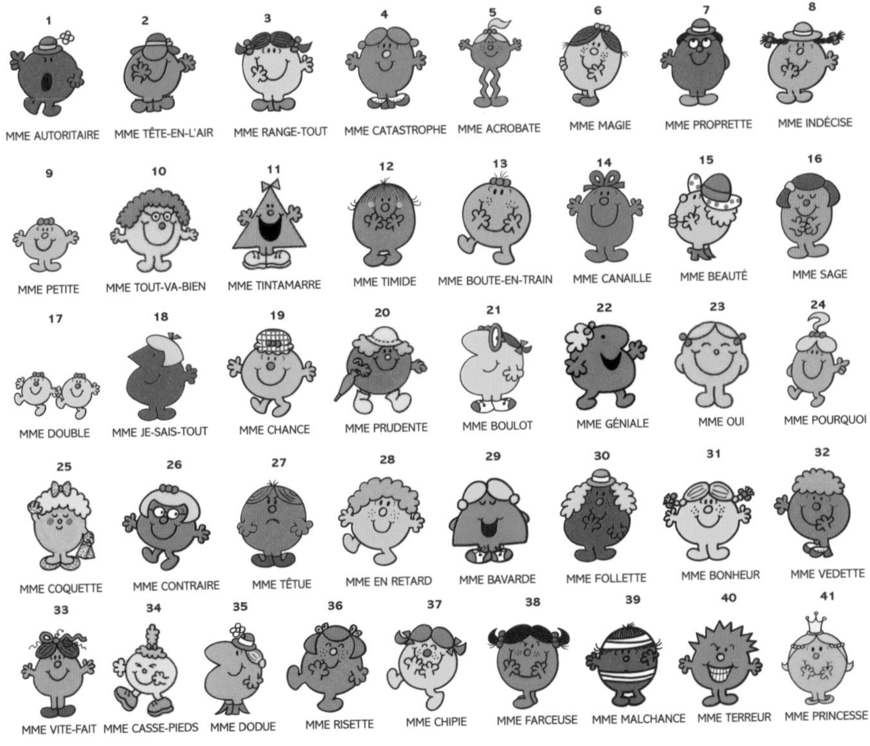

1 MME AUTORITAIRE
2 MME TÊTE-EN-L'AIR
3 MME RANGE-TOUT
4 MME CATASTROPHE
5 MME ACROBATE
6 MME MAGIE
7 MME PROPRETTE
8 MME INDÉCISE
9 MME PETITE
10 MME TOUT-VA-BIEN
11 MME TINTAMARRE
12 MME TIMIDE
13 MME BOUTE-EN-TRAIN
14 MME CANAILLE
15 MME BEAUTÉ
16 MME SAGE
17 MME DOUBLE
18 MME JE-SAIS-TOUT
19 MME CHANCE
20 MME PRUDENTE
21 MME BOULOT
22 MME GÉNIALE
23 MME OUI
24 MME POURQUOI
25 MME COQUETTE
26 MME CONTRAIRE
27 MME TÊTUE
28 MME EN RETARD
29 MME BAVARDE
30 MME FOLLETTE
31 MME BONHEUR
32 MME VEDETTE
33 MME VITE-FAIT
34 MME CASSE-PIEDS
35 MME DODUE
36 MME RISETTE
37 MME CHIPIE
38 MME FARCEUSE
39 MME MALCHANCE
40 MME TERREUR
41 MME PRINCESSE

– Et si on s’en servait pour manger le gâteau ?

Le soir-même, de retour chez lui, monsieur Étonnant invita son ami monsieur Bizarre à dîner. Il lui raconta sa journée en Normalie.
Monsieur Bizarre rit si fort qu'il tomba de sa chaise.
– … Et puis, poursuivit monsieur Étonnant, madame Boulon m'a donné une pelle. Une pelle ! Vous y croyez ? Pourquoi voudrais-je acheter une pelle alors que j'ai besoin d'un trou ?
– Hi ! Hi ! Ah ! Ah ! C'est ridicule !
se moqua monsieur Bizarre.
– Remarquez, maintenant, ça me donne une idée !
ajouta monsieur Étonnant.

Ils arrivèrent enfin chez madame Boulon, la quincaillière.
– Bonjour, dit monsieur Étonnant en entrant.
Je voudrais un trou, s'il vous plaît.
– Un trou ? questionna madame Boulon, surprise.
– Oui, assez gros pour y planter un arbre,
expliqua monsieur Étonnant.
Madame Boulon sourit.
Madame Sage pouffa.
Puis, toutes deux éclatèrent de rire.
– Je n'ai jamais rien entendu d'aussi absurde,
dit madame Boulon. Quoique… j'ai peut-être
quelque chose qui pourrait vous être utile.

Il rit quand il vit une autre personne téléphoner dans une cabine téléphonique.

Et il rit encore en apercevant un parapluie sans trou.

Il rit lorsqu'il croisa quelqu'un qui postait son courrier dans une boîte aux lettres.

Monsieur Étonnant se mit alors à sourire,
puis à glousser puis il éclata de rire.
– Pourquoi riez-vous ? demanda madame Sage.
– Le… pass… passage piéton est… Ah ! Ah ! rayé !
répondit monsieur Étonnant, secoué par
son propre rire.
– Comment pourrait-il en être autrement ?
demanda madame Sage.
– Eh bien… à pois, évidemment !
répondit monsieur Étonnant en essuyant ses larmes.
– Ce serait vraiment… étonnant !
ajouta madame Sage.
Ils reprirent leur route mais plus ils avançaient
et plus monsieur Étonnant riait.